지금 당신의 인생 책은 무엇입니까?

01 사피엔스

다시보기

02 징비록

다시보기

03 군주론

다시보기

04 멋진 신세계

다시보기

05 신곡

다시보기

06 총, 균, 쇠

다시보기

07 예루살렘의 아이히만

다시보기

08 백범일지

다시보기

09 넛지

다시보기

10 이기적 유전자

다시보기

11 팩트풀니스

다시보기

12 데미안

다시보기

13 정의란 무엇인가

다시보기

14 코스모스

다시보기

15 서양미술사

다시보기

16 아내를 모자로 착각한 남자

다시보기

17 침묵의 봄

다시보기

18 하멜표류기

다시보기

19 노동의 종말

다시보기

20 타인의 고통

다시보기

21 삼국지

다시보기

22 페스트

다시보기

23 햄릿

다시보기

24 한중록

다시보기

25 호밀밭의 파수꾼

다시보기

26 인간관계론

다시보기

27 동물농장

다시보기

28 지리의 힘

다시보기

29 걸리버 여행기

다시보기

지금 당신의 인생 책은 무엇입니까?

01	

지금 당신의 인생 책은 무엇입니까?

02

지금 당신의 인생 책은 무엇입니까?

03	

지금 당신의 인생 책은 무엇입니까?

04	

지금 당신의 인생 책은 무엇입니까?

05	

지금 당신의 인생 책은 무엇입니까?

06

지금 당신의 인생 책은 무엇입니까?

07	

지금 당신의 인생 책은 무엇입니까?

08

지금 당신의 인생 책은 무엇입니까?

09	

지금 당신의 인생 책은 무엇입니까?

10